D1794930

你真的了解
伶盗龙吗?

英国演化生物学家、BBC（英国广播公司）科普节目主持人

BEN GARROD

给孩子的恐龙书

［英］本·加罗德 著　方琳浩 译

伶盗龙

中信出版集团·北京

图书在版编目（CIP）数据

伶盗龙/（英）本·加罗德著；方琳浩译. -- 北京：中信出版社，2019.1
（给孩子的恐龙书）
书名原文：So You Think You Know About VELOCIRAPTOR？
ISBN 978-7-5086-9756-7

Ⅰ.①伶… Ⅱ.①本… ②方… Ⅲ.①恐龙－少儿读物 Ⅳ.①Q915.864-49

中国版本图书馆 CIP 数据核字 (2018) 第 258080 号

伶盗龙
（给孩子的恐龙书）

著　　者：[英]本·加罗德
译　　者：方琳浩
出版发行：中信出版集团股份有限公司
　　　　　（北京市朝阳区惠新东街甲 4 号富盛大厦 2 座　邮编　100029）
承　印：北京画中画印刷有限公司

开　　本：880mm×1230mm　1/32　　　　印　　张：3.375　字　　数：65 千字
版　　次：2019 年 1 月第 1 版　　　　　 印　　次：2019 年 1 月第 1 次印刷
京权图字：01-2018-6995　　　　　　　　广告经营许可证：京朝工商广字第 8087 号
书　　号：ISBN 978-7-5086-9756-7
定　　价：38.00 元

出　　品：中信儿童书店
策　　划：中信出版·神奇时光
策划编辑：韩慧琴　邵　安
责任编辑：韩慧琴
装帧设计：灵思舞意　王　卓

版权所有·侵权必究
如有印刷、装订问题，本公司负责调换。
服务热线：400-600-8099
投稿邮箱：author@citicpub.com
网上订购：zxcbs.tmall.com
官方微信：中信出版集团
官方网站：www.press.citic

致敬科学极客

你们也是超级英雄

我从小就非常热爱动物。我曾经在我家的花园和海岸上观看鸟类、松鼠和青蛙。当我十岁的时候，我决定去非洲，和野生动物们一起生活，并写下关于它们的书籍。每个人听后都笑了，非洲很远，而我只是一个小女孩。当时是 1944 年，没有女孩会做那样的事情。但我妈妈说："如果你真的很想实现这个愿望，你就必须努力，抓住机遇，永不放弃。"这也是我给你的建议。

　　当我遇到路易斯·莱基博士并能够在坦桑尼亚贡贝国家公园研究黑猩猩时，我的梦想成真了。黑猩猩帮助我科学地证明了动物与人类一样有个性、思想和情感。最后我建立了一个研究站，正如科学家们总是在研究新的恐龙物种，我的学生们还在学习关于贡贝黑猩猩的新知识。

序

珍 · 古道尔博士

　　我认识本 · 加罗德博士多年，我们都鼓励大家追随自己的梦想。也许你不打算成为一名科学家，即使如此，你也需要了解科学家所做的工作，因为这有助于我们了解自己所生活的精彩世界，关于演化和各种奇妙的生物。有更多物种尚未发现。也许你会发现其中之一！也许它将以你的名字来命名！

　　无论你决定未来做什么，我都希望你永远对这个神奇的世界充满好奇，并从那些用毕生精力来发现和分享世界秘密的人们那里获得。最重要的是，你将和本 · 加罗德博士还有我一同保护地球上的生命。

　　让我们开始极客之旅吧！

自序

Hey Guys

有一样东西是你需要具备的，花钱也买不到，不是每个人都能拥有它，但我希望你拥有它。我说的是什么东西呢？是自信。

大家很容易认为成年人都是自信的，像科学家肯定会更有自信，但是，请相信我，并非所有人都像大家想象的那般自信。

所以我希望你从现在开始练习。如果你有信心，这会帮助你轻松且更好地成为一名科学家。

我希望你能做三个方面的练习。第一，是练习对自己的梦想充满信心。我并不是指你晚上睡觉的梦，而是你希望能在自己人生当中做的事情，你的梦想可以是任何事情。

如果你想去太空或者与猴子一同工作、生活（甚至是太空猴子），那么请相信你自己能够做到。无论你是谁，无论你来自哪个地方，都请记住：你可以胜任所有事情。你需要的是激情和自信，此刻你已经开始了自己的旅程。如果有人说你无法探索深海，或者无法做心脏手术，或者无法找到新的恐龙物种，那么请你充满信心地说："我可以，我什么事都能做。"

第二，是有关自信的练习。我希望你勤于向他人请教并进行交流。假设你在一个博物馆或一个讲座现场，甚至在课堂上遇到一位科学家、博物馆馆长或你最崇拜的偶像科学家，请充满信心地向他们打招呼，如果你有问题，那么可以随意向他们提问。请记住，所有这些专家都曾年轻过，他们也知道张口提问是件多么难的事，所以去试试吧！尝试与他们交谈，看看接下来会发生什么。

第三，我希望你充满信心地去试错。这听起来很奇怪是吗？我们总是努力地去做正确的事，但成为一位优秀的科学家意味着你在成功之前会犯许多错，没有什么比"害怕犯错而不敢提问"更糟糕了，没有人会嘲笑你或者对你刻薄，要是有人这么做只能说明他是错的。如果你错了，那又怎么样呢？一笑而过，继续前行喽！勤于提问可以帮助你学习并成为更好的科学家。

我知道变得自信并不容易，但请相信我，现在就开始练习，因为成年人做这件事要困难得多。

我做过一些非常酷的工作，住在丛林中，探索火山，在北极风暴中航行。坦诚地说，我能得到这些工作，一半的原因是因为我的自信，你永远不知道自信能给自己带来些什么。

我之所以写"给孩子的恐龙书"，有两个原因。首先，我热爱恐龙，我知道你也热爱恐龙。其次，我想写一套专业性强、不令人失望的科学读物给各位未来的小科学家们。我一次次地看到，你们中的很多人都已经掌握了很多相关知识，并不喜欢让家长把自己当小孩子看。

书中的一些内容稍微有点复杂，但科学本来就不简单。我以一种简单易懂的方式使它们变得有趣，还让它满载着其他地方没有的新科学知识、对专家的精彩采访以及有趣的事实。

一起成为一名极客吧！

本·加罗德

目录

第一章

初识恐龙

什么是恐龙

对古生物学家来说，研究什么是恐龙是一件非常重要的事，但直接谈到这个话题就太跳跃了，这就好比你还没学会走路呢，就先想着赛跑了，我们需要先对恐龙进行基础的分类排序。在研究恐龙之前，让我们以一种现存的生物为例，来帮助我们解释到底是如何对动物和植物进行分类的。研究这类问题的学科被称为生物分类学。

想象一下，如果你的老师让你解释为什么黑猩猩不同于其他动物，你首先就可以对黑猩猩和植物、真菌、细菌进行区分。这种水平的区分是很明显的，但弄清楚这件事是非常重要的，否则后续的其他分类都将没有任何意义。这种分类级别被称为"界"，比如黑猩猩就属于动物界。其他所有的物种都可以从这个级别开始分类——这个是对于所有生

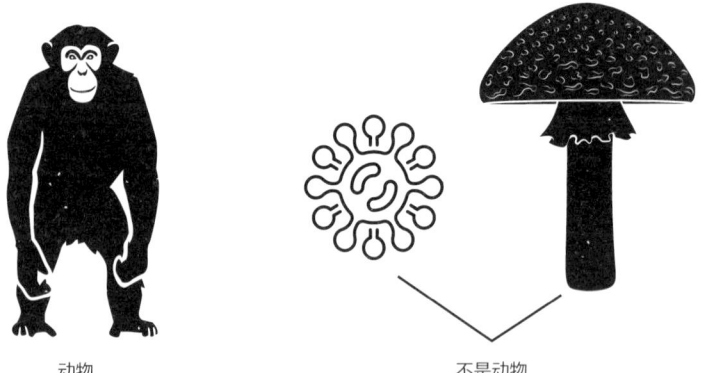

动物   不是动物

物（包括已灭绝的生物）进行区别和归类的第一步。这个级别总共至少有100万个物种。

接下来我们需要继续探索黑猩猩在动物界的下一步分类，比界低的级别称为"门"，在动物界下一共有34个门，那么黑猩猩属于哪一门呢？与蠕虫、海星、海胆和昆虫属于同一门，蜘蛛和蝎子属于同一门一样，黑猩猩属于脊索动物门，这个门下的所有物种都有脊髓（只有一条简单脊索的也包括在内），目前大约有10万个现存物种属于脊索动物门。

脊索动物　　　　　　　　　　　　非脊索动物

检索范围从100万变成了10万，我们离胜利越来越近了哟！现在让我们把检索变得更容易一些。脊索动物也有很多分类，比如爬行动物、两栖动物和鸟类，这些都是不同的动物群体。与狗、猫、猪、猴子、大象、老鼠、驴这些动物相似，黑猩猩也有毛发，并用乳汁喂养它们的幼崽，这些动物都属于哺乳动物"纲"。目前大约有 5500 个现存物种属于哺乳动物纲。

哺乳动物   非哺乳动物

哺乳动物也有很多不同的物种，从巨大的鲸鱼到飞行的蝙蝠，我们可以把这个庞大的群体进一步分成几个群体，这些群体我们称之为"目"。你自己都可以辨别出很多目，像啮齿动物、蝙蝠、鲸鱼和海豚都属于不同的"目"。

灵长目动物   非灵长目动物

黑猩猩与类人猿、猴子和狐猴一样，都是灵长目动物。我们还没完全确定，但科学家们认为目中大约有 500 个成员，这可比 5000 个选项要少得多，比 10 万个选项要少得多得多，比 100 万个选项要少得多得多得多。

现在我们知道了黑猩猩是一种灵长目动物，接下来让我们尝试是否能将范围变得更小。下一个级别的群体称为"科"。有许多不同的灵长目动物，比如狐猴、猴子和小类人猿，但是黑猩猩是在一个叫作"人科"的群体中，这个群体也被称为"大类人猿"，只有四个不同的成员。

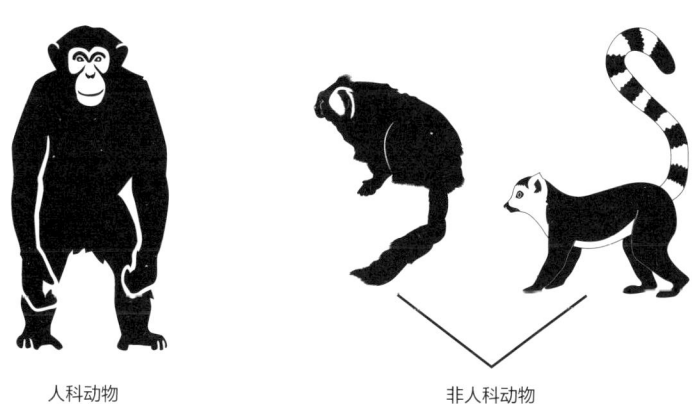

人科动物　　　　　　　　　　非人科动物

我们已经要分好类了，人科由四种不同类型的动物组成：人类、大猩猩、长臂无尾巨猴和黑猩猩。它们每一个都在下一级分类——"属"这个级别上。每个"属"都有一个确切的名称。

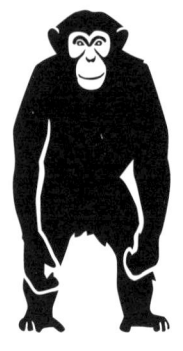

黑猩猩属

非黑猩猩属

在纪录每个属的学名时候，有两个小规则：

1. 每个属的名称必须要用斜体字表示，例如君王暴龙的属名，*Tyrannosaurus* 是对的，而 Tyrannosaurus 是错的。

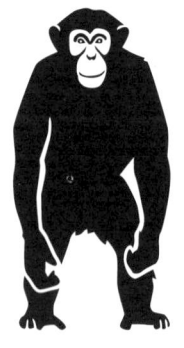

类人猿

非类人猿

2. 属名的首字母必须大写，例如：*Tyrannosaurus* 是对的，而 *tyrannosaurus* 是错的。

现在我们到了最后一个阶段，在"属"之后，分类学的最后一级叫作"种"。如果我们看黑猩猩属，就会发现它有两个种，分别是倭黑猩猩和真正的黑猩猩（类人猿）。

在记录每个种的学名时，也都有两个小规则：

1. 种名称必须用斜体字表示，例如：君王暴龙的种名是 *rex* 而不是 rex。

2. 种名称首字母必须小写，例如：*rex* 是对的，*Rex* 是错的。。

我们总是把属和种的名字写在一起，所以黑猩猩的学名是 *Pan trogldytes*。这是我们众所周知的黑猩猩正确的学名，没有其他生物有一样的名字。

我们使用这种分类法来帮助我们理解物种之间、科之间和门之间的关系，这也能帮助我们避免在名字上出错，每个物种都有我们平时用的俗名和唯一的学名。

下图列出了生物类群的名称。你越向下看，每个群中的成员就越少，它就像一个倒三角形。

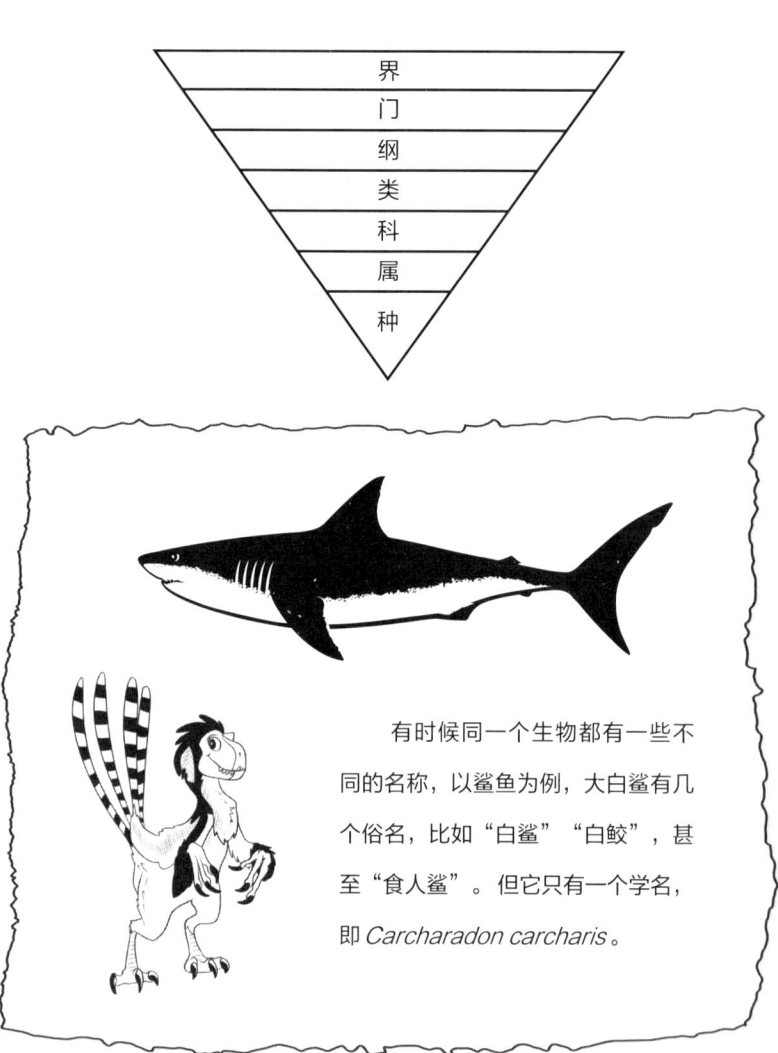

界
门
纲
类
科
属
种

有时候同一个生物都有一些不同的名称，以鲨鱼为例，大白鲨有几个俗名，比如"白鲨""白鲛"，甚至"食人鲨"。但它只有一个学名，即 *Carcharadon carcharis*。

对许多动物来说，我们平时用的是它们的俗名（比如"杀人鲸"），而不是它们的学名（*Orcinus orca*），但恐龙是不同的，对暴龙来说，我们直接使用学名来称呼它们。它们甚至连俗称都没有。

对于其他恐龙，我们大多数人只使用它们的属名。例如，即使三角龙有两个种（普氏三角龙和褶皱三角龙），我们也都统一称它们为"三角龙"。其他的恐龙也是一样的，比如梁龙、剑龙和伶盗龙。下次当你再读到一只恐龙的名字时，你可以试着找出它的全名是什么，看看它的属下有几个种。

动物的学名总是能够告诉我们一些信息：从 *Hippopotamus*（河马）可以联想到"生活在河中的马"，*Homo*（智人）可以联想到"有智慧的人"。

不过有的时候，学名也可以成为一个笑话，比如世界上最大的动物——蓝鲸，它的学名的意思是"有翅膀的老鼠鲸"，这就很有趣了，哈哈！

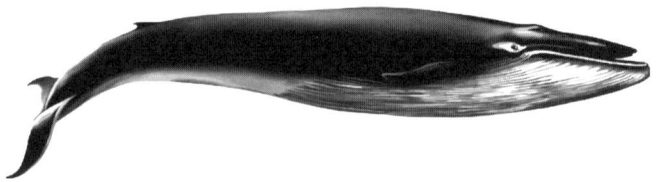

一些恐龙的名字非常奇怪和好笑，比如斑比盗龙（以迪士尼动画中鹿宝宝的名字命名），尼氏德林克龙（以一位著名古生物学家的名字命名），还有霍格沃茨龙王龙（意思是"霍格沃茨的国王"）。

这就是恐龙

考虑到恐龙有那么多的种类，并且形态各异，所以我们在判断一个化石究竟是不是恐龙化石时要非常谨慎。我们可以依据化石的一些特点来进行鉴别，以下是所有恐龙化石的三个共同特征：

其一，恐龙头骨的每只眼睛后面有两个朝向头骨后部的颞孔。

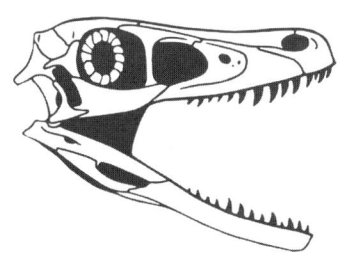

这说明它们是双孔亚纲动物。如果你好奇的话，可以比较一下，我们（哺乳动物）是单孔亚纲，特点是每只眼睛后面都只有一个孔，当你去博物馆时可以看看恐龙的骨骼，它们每只眼睛后面都有两个颞孔。

其二，所有恐龙的腿都是垂直于身体的。

鳄鱼

恐龙

下次当你去户外时可以观察一下鳄鱼的腿（但记得不要靠太近）。鳄鱼与我们人类直立的双腿不同，它的腿会在中间某处

11

弯折。所有有腿的爬行动物，诸如鳄鱼和它们的近亲蜥蜴的腿都是这样弯曲的——从身体两侧向外伸出后再向下弯折。

其三，恐龙的前肢很短。

我们都知道暴龙和它的近亲恐龙有着非常短小的前肢，但其实几乎每一只恐龙的前肢都比我们想象中要更短一些。低头看一看你的胳膊——上臂骨头（肱骨）仅仅比下臂骨（桡骨和尺骨）长一点。但对于恐龙来说，桡骨一般至少比肱骨短 20%。

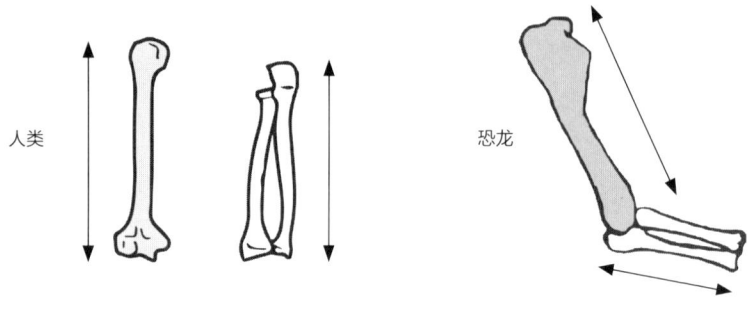

人类 恐龙

恐龙鉴定单

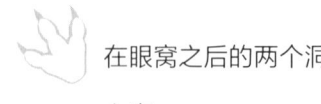

在眼窝之后的两个洞（上下颞孔）之间，有一个深凹，称为颞上窝。

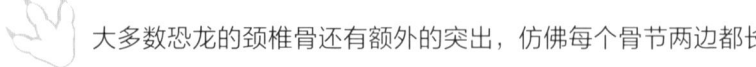

大多数恐龙的颈椎骨还有额外的突出，仿佛每个骨节两边都长

了一个小小的翅膀。这些突出的小块学名叫作"上突"。

在前肢上部的肱骨边缘有一块隆起，用来附着巨大的肌肉组织。这块隆起约占肱骨长度的 30%。

股骨和肱骨一样，有巨大而且棱角分明的隆起，能够让肌肉附着。

头后骨骼并未在中部愈合。

胫骨突出并向外生长。

在小腿腓骨和脚踝连接处，有一个大型的距骨凹。

伶盗龙是迄今为止发现的最像鸟类的恐龙之一。腕骨的排列可使前肢左右移动、做拍打的动作，有点像鸟的翅膀。虽然伶盗龙不会飞，但它们可以通过这个能力来挥舞足以让对手丧命的爪子。

第二章

探索恐龙

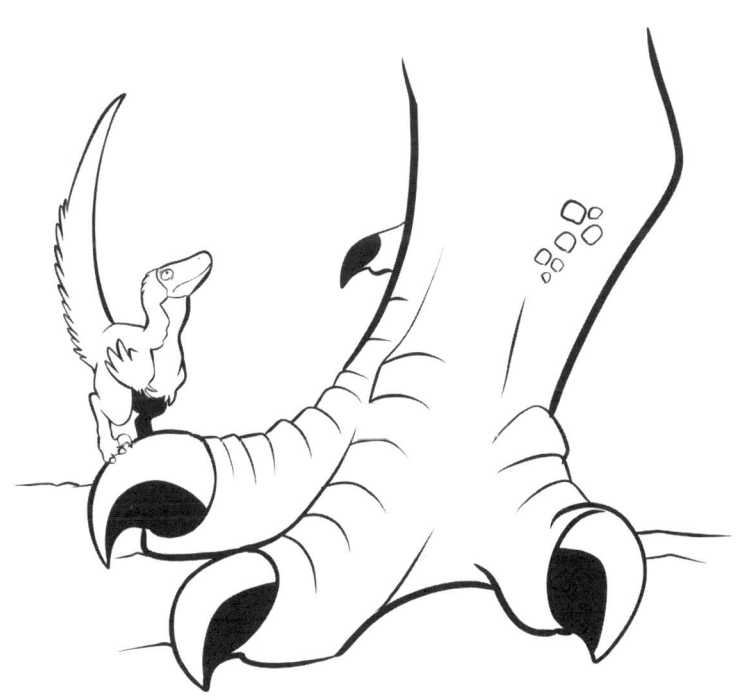

伶盗龙

伶盗龙是可怕、巨大而又致命的，这是我们经常在书籍和一些著名电影里看到的。但它已经有点面临身份危机了。我们大多数人对伶盗龙的想象与真正的科学考证的情况是非常不同的。你可以试着问问大人伶盗龙长什么样，我敢打赌他们会说伶盗龙和成人一样高，有和蜥蜴一样的鳞、大而可怕的牙齿，甚至还有可以撕裂猎物内脏的恐怖爪子，如果真这么说的话，那这些人就大错特错了。

伶盗龙的爪子是它们最大的武器，但并不是用来撕碎猎物内脏的，它的爪子确实有锋利的锯齿，但是没我们想象的那么大；它的皮肤上没有鳞片，全身被羽毛覆盖；最令人惊讶的是，伶盗龙并不是一个体形庞大的杀手，它的体形和火鸡一样大。伶盗龙确实是一种致命的恐龙，但和电影中的样子完全不同。

伶盗龙是一种两足行走的小型肉食性恐龙。它差不多和一只大火鸡一样高，但有 2 米长。伶盗龙的学名 *Velociraptor* 意思是"敏捷的盗贼"（Veloci 意为"快"，raptor 意为"小偷"）。伶盗龙生活在 7500 万 ~7100 万年前（属于白垩纪晚期）。

虽说伶盗龙有两个有效种——蒙古伶盗龙和奥氏伶盗龙，但其中之一很可能是冒名顶替者。奥氏伶盗龙也许不是伶盗龙，它和驰龙类中的另一种小型恐龙白魔龙有着更为密切的联系，白魔龙在最初被发现时也被科学家认为是伶盗龙。其实科学家到现在还没有完全搞明白伶盗龙，未来我们可能会进行更多的研究。

第一批伶盗龙化石发现于 20 世纪 20 年代。蒙古当时是地球上最偏远、还未被开发的地方之一，那里没有火车站或机场，只有乘坐汽车和骑马才能到达那里。美国自然历史博物馆的古生物学家认为，这样的地方一定是个寻找新化石的好地方，事实证明他们是对的。

这个小组由著名的化石收集者罗伊·查普曼·安德鲁斯领导，他发现了第一批窃蛋龙和原角龙化石，但第一个发现伶盗龙化石的人不是他，而是他手下的一个团队。这个团队在沙漠里发现了一个破裂的头骨和一个脚趾爪。开始人们对伶盗龙也有一些错误认知，误以为它是澳大利亚盗龙。幸运的是,它很快就被改名为大家现在普遍认同的伶盗龙这个名字。

伶盗龙有一条长长的尾巴,每个后肢都有一根独特的大爪。它弯曲锋利,是使伶盗龙拥有显赫名声的终极武器。它属于驰龙科,是肉食性恐龙,迄今为止,发现的伶盗龙化石数量远远多于其他任何一种肉食性恐龙。

恐龙家族树

伶盗龙是驰龙类恐龙,隶属于驰龙科。驰龙的学名意为"奔跑的蜥蜴"。它们是奔跑迅速的双足肉食性恐龙,在北美洲、欧洲、蒙古、非洲,

a. 顾氏小盗龙　b. 亚伯达驰龙　c. 卡氏南方盗龙

甚至南极洲，都发现了驰龙科恐龙的化石。

驰龙类有哪些共同特点？大多数科学家认为，它们都是小型或中型的双足肉食性动物，全身覆盖羽毛，但不是某些大型兽脚类恐龙的那种奇怪的毛茸茸的羽毛或是今天的几维鸟的羽毛。许多驰龙拥有大的正羽（又细又硬的羽轴通常在羽毛中间，从顶部延伸到底部），也许会对飞行有所帮助。驰龙有相当大的头骨和狭长的鼻子，以及朝向前方的眼睛和锋利的锯齿状牙齿。

驰龙科包括许多种恐龙，具体可以细分为几个类群，例如众所周知的小盗龙、犹他盗龙和恐爪龙。

d. 蒙古伶盗龙　　e. 奥氏犹他盗龙　　f. 平衡恐爪龙

伶盗龙代表了这个家族的一个分支，驰龙类最早出现在白垩纪早期（1.25多亿年前）。它们在地球上生存了超过5000万年，直到6600万年前著名的小行星撞击地球事件后才灭绝。

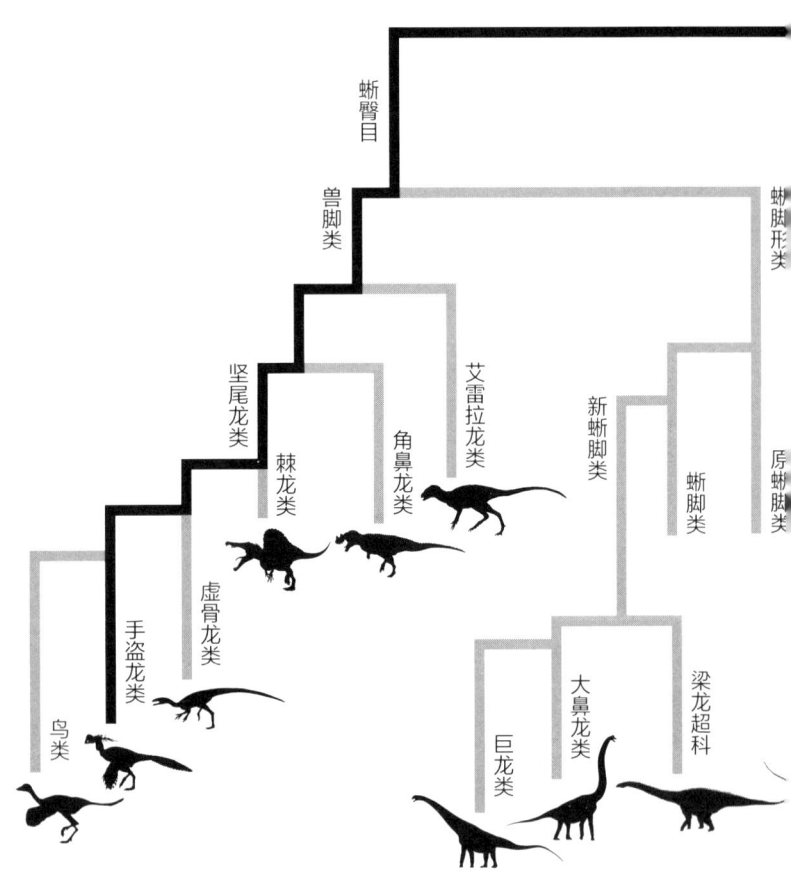

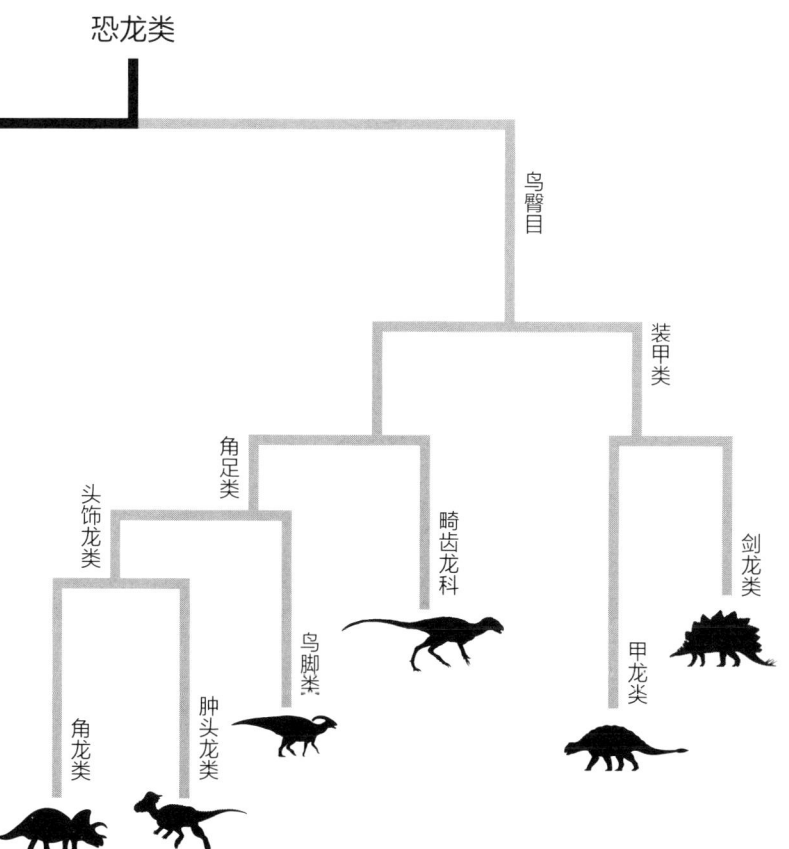

恐龙类

鸟臀目

装甲类

角足类

头饰龙类

畸齿龙科

剑龙类

鸟脚类

甲龙类

角龙类

肿头龙类

驰龙科

半鸟亚科

小盗龙

斑比盗龙

天宇盗龙

恶灵龙

真驰龙类

　　尽管伶盗龙是一个独立的分支，但它也有其他亲缘物种，这些物种属于一个叫驰龙亚科的类群，包括恐爪龙、驰龙、达科他盗龙。所有这些亲缘物种都有一个特点——它们的第二个脚趾上有一根巨大、弯曲、锋利的爪，以便用来捕杀猎物或者爬树。科学家们认为，这些恐龙行走时会把脚趾抬起来，从而使其免受磨损。

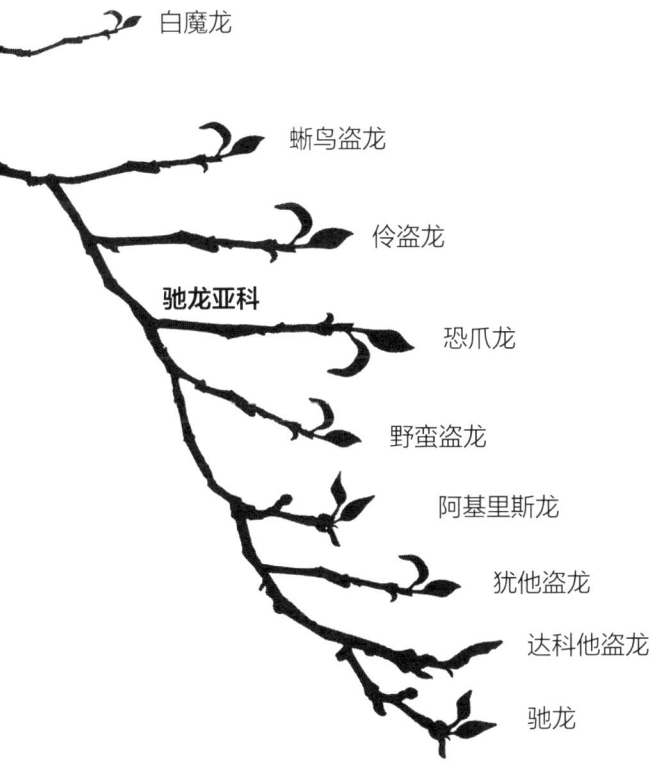

白魔龙

蜥鸟盗龙

伶盗龙

驰龙亚科

恐爪龙

野蛮盗龙

阿基里斯龙

犹他盗龙

达科他盗龙

驰龙

伶盗龙的近亲

恐爪龙——可怕的爪子

　　恐爪龙只有一个物种，它的化石遍布美国各地，如蒙大拿州、犹他州、怀俄明州和俄克拉何马州等，在马里兰州的东部曾发现它的牙齿化石。它们生活在1.15亿～1.08亿年前（白垩纪早期），身长约3.4米。

　　在20世纪60年代后期，中等体形的驰龙化石被发现，这彻底改变了科学家们对于恐龙的看法。在此之前，人们认为恐龙体形巨大，动作缓慢，而且几乎没有杀伤力，但是恐爪龙的出现告诉我们，有许多恐龙体形小，动作迅猛，是相当危险的捕猎者。"可怕的爪子"指的是它们每个后肢第二个脚趾上又大又弯的爪。至少在两个不同的地区，在腱龙（鸭嘴龙近亲）化石的旁边发现了恐爪龙的牙齿。

犹他盗龙——犹他州的强盗

犹他盗龙也只有一个种。没有意外，这些化石全是在美国犹他州被发现的。犹他盗龙生活在早白垩纪时期，大约 1.26 亿年前，上下可能有 250 万年的误差。

犹他盗龙是驰龙类中体形最大的一种恐龙。身高达 7 米，体重约 0.5 吨，它与北极熊的重量大致相同，但长度却是北极熊的 2 倍，并且有着至少 22 厘米长的锋利爪子。一个十分惊人的化石遗迹中，六只犹他盗龙的骨骸同时出现在化石流沙中，它们正在围攻一只禽龙。在这个化石中，有一只成年犹他盗龙，四只小犹他盗龙和一只新生儿，这表明它们以群体形式捕猎，甚至是以家族为单位进行活动。

小盗龙——小强盗

　　小盗龙有 3 个种，全部生活在约 1.2 亿年前的白垩纪早期。中国辽宁地区发现了许多小盗龙化石。这里是全世界保存得最好的有羽毛恐龙化石遗址之一。

　　顾名思义，小盗龙是体形较小的恐龙。它体长很少超过 80 厘米，重约 1 千克，有 4 个翅膀（连接着腿部和"胳膊"），可以在树木之间滑行。一些科学家相信它既可以飞行，也可以滑行。一些小盗龙的化石上的羽毛有条纹，这表明它活着的时候体表可能有条纹。研究表明，小盗龙是的羽毛有金属光泽，就像今天的椋鸟一样。小盗龙化石非常重要，可以帮助科学家更好地了解鸟类和恐龙之间的关系。

驰龙——快速奔跑的蜥蜴

    驰龙只有 1 个种。它们生活在 7650 万 ～ 7400 万年前（属白垩纪晚期），在美国西部和加拿大阿尔伯塔都发现了驰龙化石。

    驰龙是一种中型恐龙，体重约 15 千克，长约 2 米。它的头骨比它的近缘物种要短，而它的下颌要更加坚硬，它的牙齿也比其他食肉恐龙的牙齿更坚固有力，其咬合力至少比伶盗龙大 3 倍。驰龙似乎更像是用牙齿弄碎它的猎物，而不只是撕扯猎物的肉。驰龙在各种书籍和电影中非常受欢迎，但博物馆里的驰龙有很多都是模型，却很少有真正的化石。

小测试

你真的了解恐龙吗?

· 黑猩猩属于哪个动物门?

· 智人的学名(*Homo*)是什么意思?

· 在动物的学名中属和种哪一个写在前面?

· 伶盗龙是什么时候开始出现的?

  它们在地球上生活了多久?

· 说出寻找有羽毛恐龙的最佳地点。

· 伶盗龙属于哪个类群?

（答案见本书第 86 页）

第三章

揭秘恐龙

何时何地

恐龙时代处于三大地质时期，分别是三叠纪、侏罗纪和白垩纪。这三个时期都在同一个更大的时间范围（称为"代"）内，它们都在中生代。

中生代也被称为"恐龙时代"。伶盗龙存活于白垩纪晚期，它们出现在约 7500 万年前，大约在 7100 万年前灭绝。

所有已知的伶盗龙化石都来自戈壁沙漠，包括蒙古国南部和中国北部。更具体一些，蒙古伶盗龙化石是在一个名为"德加多克塔组"的地方被发现的，该地区以"火焰悬崖"而闻名。

这个美丽的地方遍布红色和橙色砂岩，以发现的大量化石而闻名。恐龙蛋最初就是在这个地区被发现的，时至今日，仍有大量的伶盗龙和早期哺乳动物化石在此处被发现。目前为止，伶盗龙的其他种（奥氏伶盗龙）的化石仅在蒙古国南部的巴音满达呼组被发现。

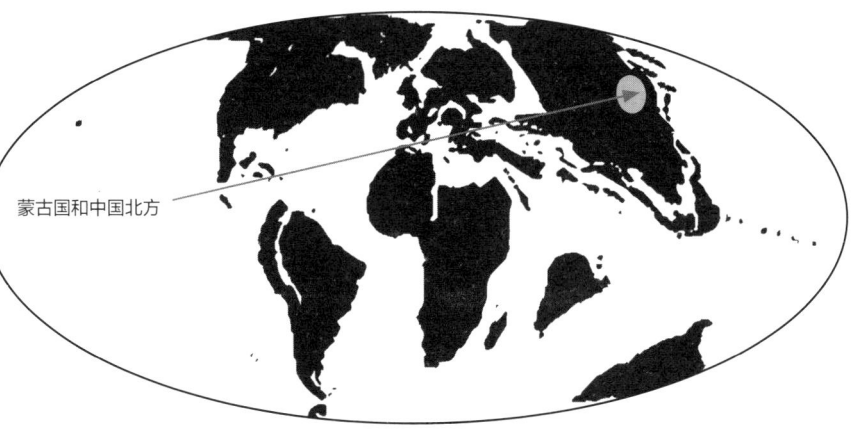

蒙古国和中国北方

白垩纪晚期的世界地图

在许多著名电影中，伶盗龙都是一种体形巨大的驰龙类恐龙，甚至比人类都要大。这种巨型恐龙确实存在，但它不是伶盗龙，而是恐爪龙。相反，伶盗龙是一种体形要小得多的恐龙，同火鸡或者较大的鸡的大小差不多。下一次如果你在电影中看到了一只巨大的伶盗龙，一定要大声指出这个史无前例的错误身份认知哟。

31

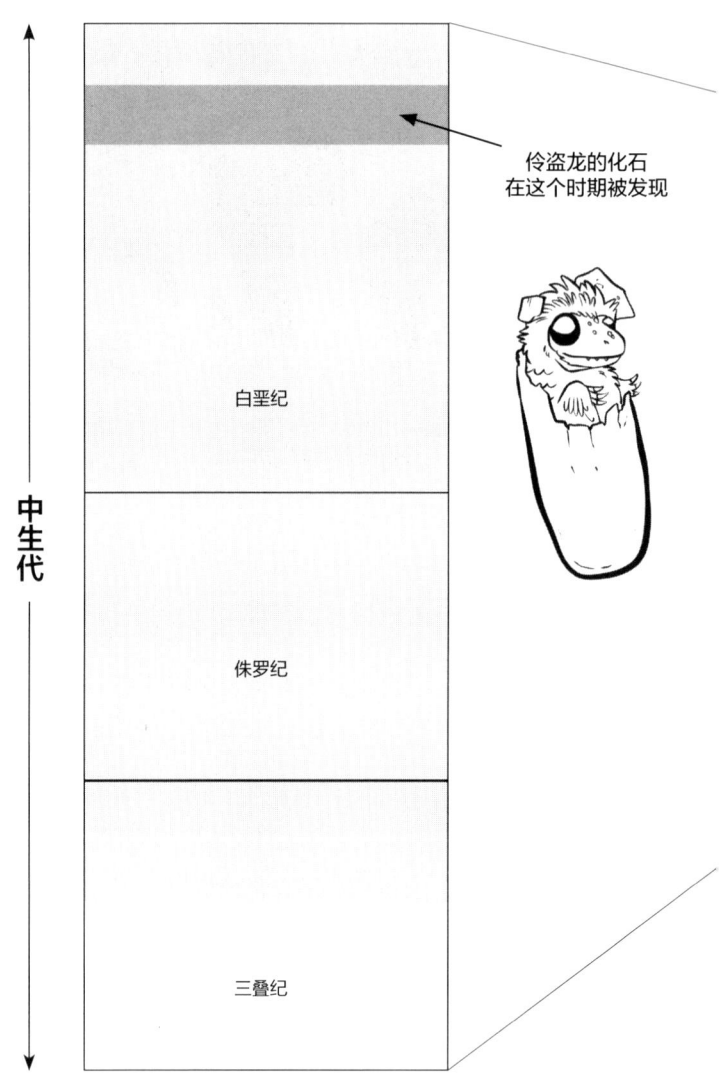

伶盗龙的化石
在这个时期被发现

白垩纪

中生代

侏罗纪

三叠纪

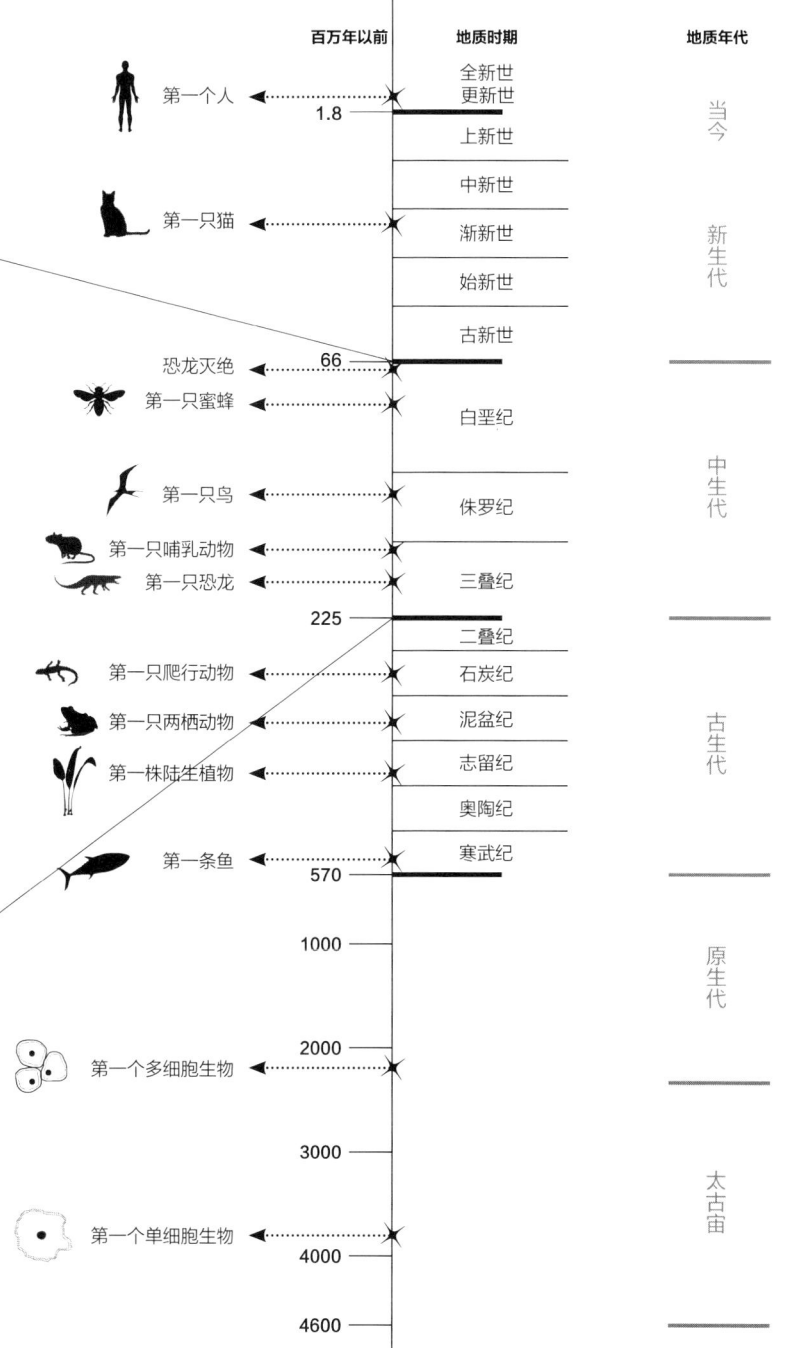

百万年以前	地质时期	地质年代
	全新世	
第一个人　1.8	更新世	当今
	上新世	
	中新世	
第一只猫	渐新世	新生代
	始新世	
	古新世	
恐龙灭绝　66		
第一只蜜蜂	白垩纪	
第一只鸟	侏罗纪	中生代
第一只哺乳动物		
第一只恐龙	三叠纪	
225	二叠纪	
第一只爬行动物	石炭纪	
第一只两栖动物	泥盆纪	古生代
第一株陆生植物	志留纪	
	奥陶纪	
第一条鱼	寒武纪	
570		
1000		原生代
2000		
第一个多细胞生物		
3000		
第一个单细胞生物		太古宙
4000		
4600		

33

问问专家:
博物馆如何照看化石?

从业余化石搜集者，到世界著名的科学家，

很多人都从事与恐龙相关的工作，

有的人去埋藏地挖掘化石，有的人在实验室做研究，

有的人像创作艺术品一般拼接恐龙的化石。

伊莱拉·格拉德·斯通

布里斯托尔博物馆和大英美术馆自然科学类

高级馆长

伊莱拉·格拉德·斯通是一位在博物馆工作的古生物学家。

她带领着一个团队，负责管理的地质学

和生物学方面标本超过一百万件。

你有没有去过博物馆看化石？或许你因此会有一个最喜欢的恐龙骨架骨骼模型或照片。你是否知道博物馆的特殊保险库中可能存有数百、数千甚至数百万的化石？想象一下，装有化石的抽屉和箱子一排排地摆放在那里……

博物馆的工作人员都能够向到访的古生物学家透露关于史前生物的新知识，也能够参加新活动、电视节目和博物馆展览。照看化石是馆长的日常工作。

首先，我们需要知道如何在所有化石中找到其中一个化石。每个化石都有一个独有的编码，通常由数字和字母组成，如"Cb8756"或"1991.1G"。该编码的登记册中，附有关于博物馆内化石储存地点的说明，这是因为博物馆藏品中有数百万个化石，我们可以通过编码找到想要的化石。

接下来，我们要写明化石的相关信息，例如它的名称，发现它的岩石的地点与层位，以及是谁找到的它。我们记录的信息越多，对科学家来说就越有用。例如，如果你知道这个化石处于哪个层位，你就能够推断出来它的时代。

　　为了能够让化石保存良好，我们有两种方式。首先，认真仔细地包装化石以防因碰撞而受损，理想情况下，在较大的抽屉或盒子内部，每个化石都应有适合它的底座。

　　其次，避免潮湿环境。
　　干燥的环境可以减缓化石中的化学反应，而潮湿的空气则会使化石长毛、释放强酸，甚至发生爆炸。

　　埋在岩石中的化石也可以直接运往博物馆。在布里斯托尔博物馆有一个8米长的上龙化石，科学家们用了十年时间才把化石从岩石上分离出来。他们用凿子、手术刀与一种通过气流来清理岩石上的微小斑点的特殊工具，将化石周围的岩石仔细地剥离下来。

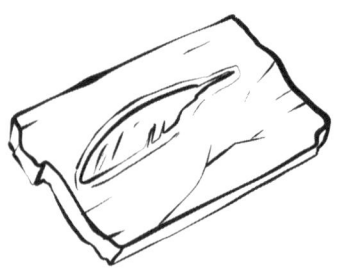

　　为了展示一个新恐龙骨架，我们不但需要找到那些让人惊叹的标

本，还需要一个好故事。

将一个大恐龙的骨架拼接
到一起进行展示是一项棘手的
任务，有时我们会对骨骼进行
数字扫描，设置每个骨骼在虚
拟空间中的位置，插图、模型、
声音和气味都有助于使恐龙骨
架变得栩栩如生。

博物馆在很久以前就开始收集化石，在"恐龙"这个词发明之前，
有一些恐龙化石可能就已经收藏在里面了。随着科学家不断地发现
新的研究方法，掌握新的知识，这些化石让科学家仍能够有一些关
于史前生物的新发现。

如果你自己收藏化石，也可以仿照博物馆的做法照看它们。记得给每个化石一个编码，记录它的相关信息，并保证它的安全。然后可以创建自己的网页，与其他人分享你的发现。

第四章

探究恐龙

伶盗龙的解剖结构

伶盗龙的骨骼

许多人认为，肉食性恐龙又大又重，并且体表有尖刺、突棘与盔甲。但并非所有肉食性恐龙都这样，有些肉食性恐龙是小巧、敏捷而又致命的。如果把恐龙比作车的话，暴龙就是一辆富有杀伤力的大卡车，而伶盗龙就是一辆流线型赛车，轻盈快速，非常适合追逐，并且也能够带来致命伤害。

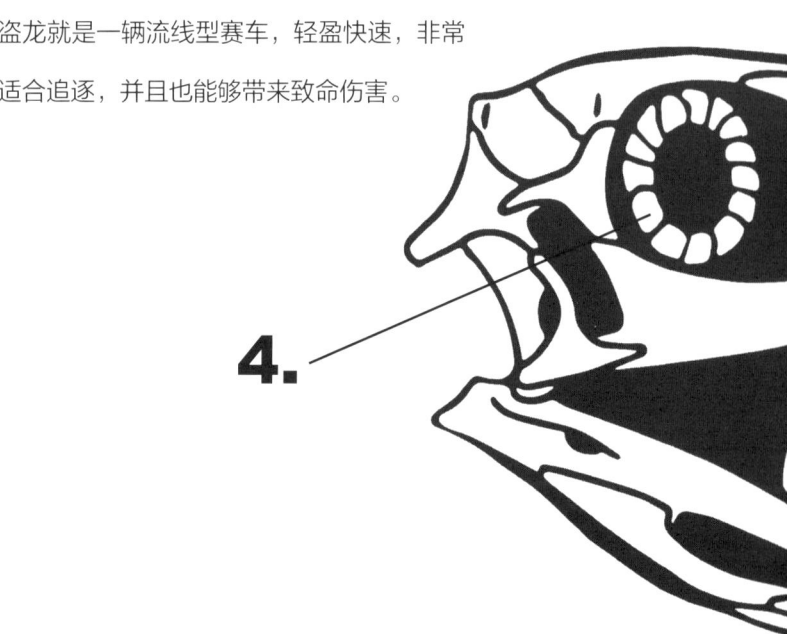

头骨

伶盗龙是一个快速且致命的掠食者。它既没有暴龙那样的巨大头骨，也没有南方巨兽龙那么大的骨架，但它仍然是一个杀手，拥有诸多非常特别的基于骨骼的适应。

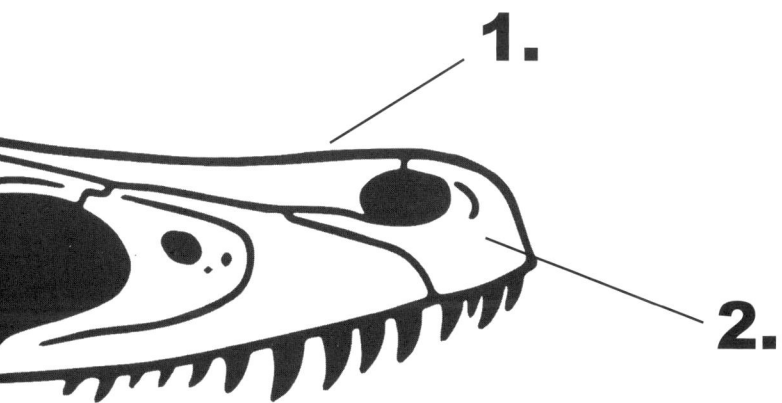

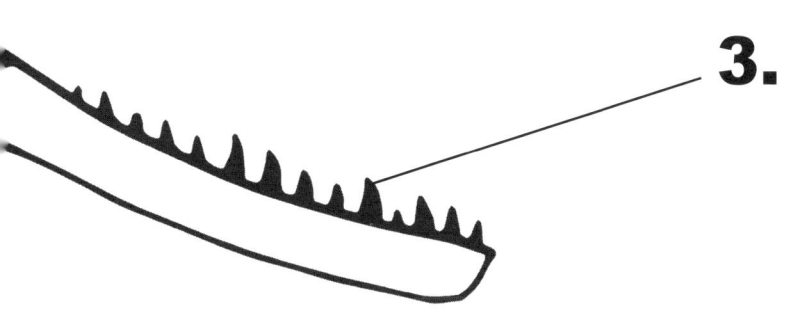

1. 伶盗龙的头骨很特别,是所有恐龙头骨中唯一一个略微弯曲的。它的上表面是我们所说的凹形（有一个凹陷），下表面是凸形（有一个凸起）。这可能听起来有些复杂，简而言之，它的形状类似于香蕉（但它有牙齿，并且不是黄色的）。

2. 头骨长达 25 厘米。它的鼻部很长，占头骨总长度的一半以上（约 60%）。

3. 伶盗龙的长颌有了 26 ~ 28 颗牙齿。牙齿分散，每个牙齿弯曲之间有间隙。牙齿呈锯齿状，在牙齿后边缘有更多的锯齿。这可以让伶盗龙的牙齿像锯一样，切掉大块的肉，这些牙齿长约 1.5 厘米。

4. 伶盗龙的每个眼窝处都有一圈骨头，这有助于维持眼球的形状并使之更有强度。白天活动的动物和晚上活动的动物的这圈骨头（巩膜环）的形状和排列是不同的。在观察完它们的形状，并与鸟类和爬行动物的巩膜环比较之后，科学家们认为伶盗龙是夜行动物。在夜间，当它们的沙漠栖息地温度降低后，伶盗龙会进行捕猎。

伶盗龙牙齿的前缘光滑但有锋利的边缘，就像小而锋利的匕首。

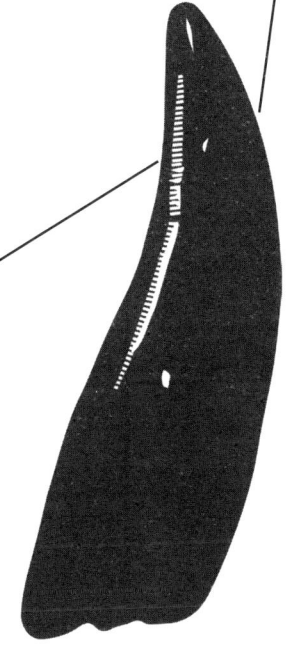

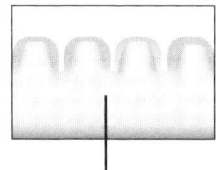

伶盗龙牙齿的后缘有脊和锯齿，就像面包刀一样。每个小锯齿都是锋利的，从而使其整体形成一个有效的切割表面。

伶盗龙牙齿的两侧共同发力，一侧切割肌肉，另一侧切割更韧的韧带和肌腱，就像一把锋利而危险的刀。

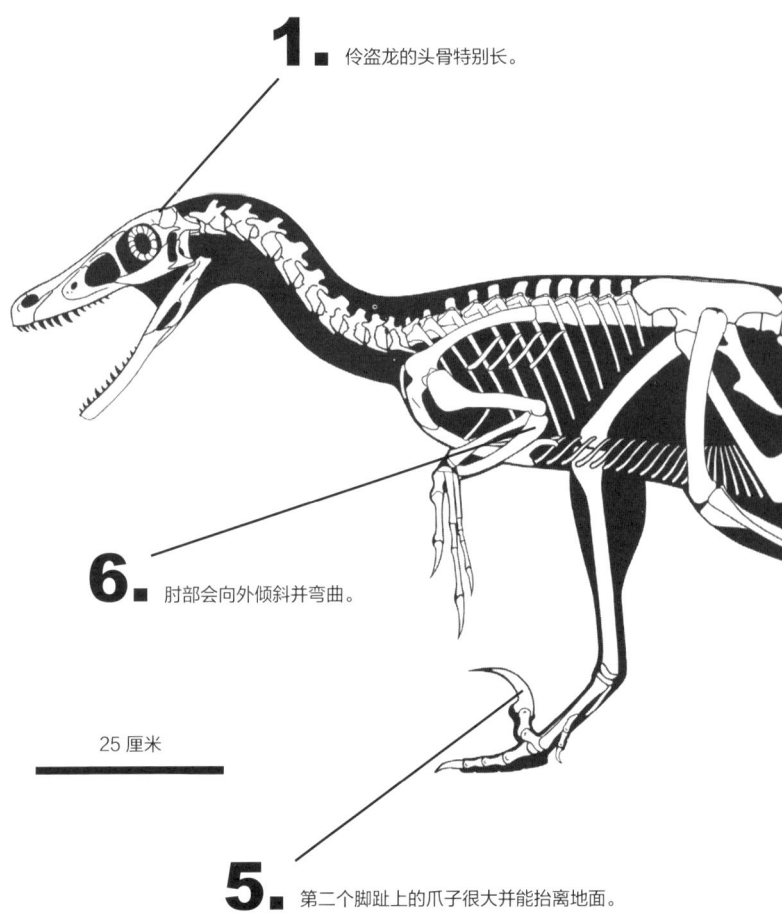

1. 伶盗龙的头骨特别长。

6. 肘部会向外倾斜并弯曲。

25 厘米

5. 第二个脚趾上的爪子很大并能抬离地面。

2. 伶盗龙尾巴上有一些额外的骨头
位于椎骨顶部。

3. 我们仍然不知道伶盗龙究竟
如何使用它的尾巴。

4. 伶盗龙用两个脚趾走路，即第三趾和第四趾。

1. 伶盗龙的头骨特别长。

虽然所有的驰龙都有较长的头骨，但伶盗龙的头骨尤其长，鼻子尖端略微向上翘。

2. 伶盗龙的尾椎骨顶部有一些凸起的骨头。

这些骨头被称为"前关节突"，从第十节尾椎开始，每根骨头都很细长，这有助于保持其他椎骨处于正确的位置。有些骨头覆盖了另外四个椎骨，还有一些则覆盖了十个椎骨。在很长一段时间内，科学家们认为这些条状骨头使尾巴变得坚硬、无法弯曲。

3. 但是现在已经发现的一个伶盗龙标本，它的一些尾椎骨仍在原位。

在这个化石中，伶盗龙的尾部弯曲成 S 形。目前，我们仍然不知道伶盗龙是如何使用它的尾巴的。

4. 伶盗龙只用两个脚趾走路。

大多数的兽脚类恐龙用三个脚趾在地面上走路。它们的第四个脚趾很小，位于脚掌中间。它被我们称为悬爪（许多动物，比如狗，到现在仍有悬爪）。但像伶盗龙这样的驰龙个用两个脚趾走路——第三和第四个脚趾。

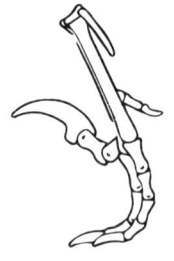

5. 伶盗龙有可抬可放的爪。

伶盗龙的爪可以说是非常著名了。伶盗龙第二个脚趾上的爪又大又弯，可从地面抬起或放下。这些爪子非常非常锋利，许多年来，科学家们都认为伶盗龙可能会使用这些锋利的爪子来撕开猎物的尸体，这也是我们在电影中常看到的画面。

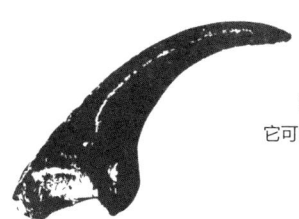

我们现在认为这个 6.5 厘米长的爪不能用来撕裂肌肉，相反，它可能就是用来刺伤猎物并造成其死亡的攻击性武器。

6. 伶盗龙的手（包括掌骨和指区）很大，有三个长长的手指，末端是强壮弯曲的爪。

从许多角度看，这种手看起来很像今天有翅膀的鸟类还有始祖鸟等物种。第一根手指是最短的，第二根手指是最长的。掌骨将这三根手指连接在一起，这意味着它们的手彼此是相对的，而不是"手掌"朝下的样子。

让我们来看三种非常不同的动物的手，伶盗龙、始祖鸟和普通鸟。我们可以发现在几百万年间一些微调整和变化是如何让它们变成翅膀的。几百万年听起来很久远，但从演化的角度来看，只是眨眼之间。

伶盗龙　　始祖鸟　　鸟

伶盗龙的身体

在动物王国中，伶盗龙是被人类错误地认知的案例之一。在一些著名的恐龙电影中，伶盗龙的体形很大，和一个成年人一样高。令人惊讶的是，它实际上并不是伶盗龙，可能是恐爪龙。

这不是伶盗龙　　　　　这是伶盗龙

这些年来我们对于伶盗龙外观的认知发生了许多变化。科学家们发现了更多的化石，并且拥有更好的技术和设备，我们对伶盗龙的外观有了更好的认识。

在 20 世纪 90 年代末和 21 世纪初，我们意识到伶盗龙体表可能是有羽毛覆盖的，因为大量伶盗龙类的化石显示，它们都是有羽毛的。现在的问题是，它们究竟是全身附着羽毛还是只是身体某些部位有羽毛，以及这些羽毛到底是什么样的。它们的羽毛是我们今天在大多数鸟类身上看到的羽毛，还是像几维鸟或其他不会飞的鸟类那样的蓬松羽毛？伶盗龙究竟有没有翅膀？

我们知道伶盗龙有羽毛，所以它很可能是恒温动物。这意味着它和原角龙这些依靠外部环境吸取热量的变温动物相比，具有更快更有效的新陈代谢功能。

温血属性对于在夜间进行捕猎的肉食性恐龙非常有帮助。

1. 我们认为伶盗龙有能覆盖牙齿的"嘴唇"。

7. 它的颌部工作起来可能像锯子一样。

6. 它的尺骨可能有羽茎瘤，当它们还活着时，会有大羽毛固定在其中。

5. 它的前肢看起来更像是末端长有大爪子的翅膀

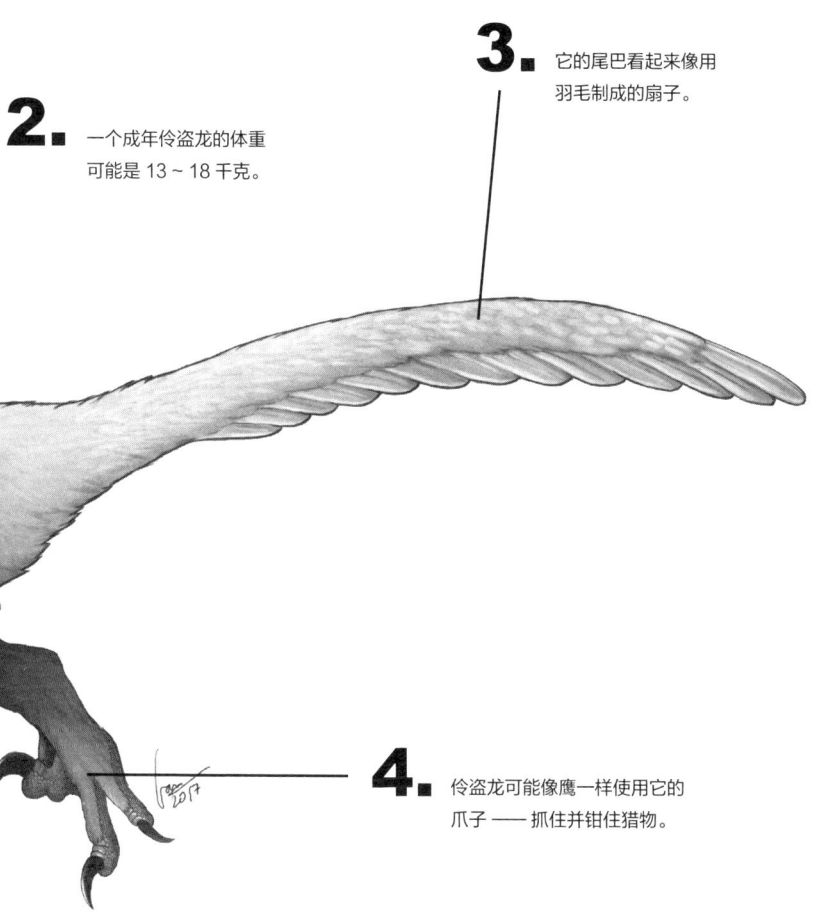

3. 它的尾巴看起来像用羽毛制成的扇子。

2. 一个成年伶盗龙的体重可能是 13～18 千克。

4. 伶盗龙可能像鹰一样使用它的爪子——抓住并钳住猎物。

1. 有能覆盖牙齿的"嘴唇"。

在很长一段时间内，人们在描画恐龙时，牙齿都是暴露的。但现在科学家们认为伶盗龙的嘴更像科莫多巨蜥等爬行动物的嘴，而不像鳄鱼那种牙齿暴露在外的嘴。

2. 一只成年的伶盗龙重达 13 ~ 18 千克（和狒狒或中型狗一样重）。

3. 伶盗龙的尾巴看起来像一把由羽毛制成的扇子，它附着在长长的中央尾部上。

根据推测，伶盗龙的尾巴由于椎骨之间的薄条骨变得非常坚挺，伶盗龙在追捕猎物、奔跑、攀爬或跳跃时用尾部来保持平衡。

4. 人们过去常常认为伶盗龙用它的爪子来撕裂猎物的尸体。

但科学家发现伶盗龙的爪子看起来很像老鹰和秃鹫的爪子，它们通过跳到猎物身上来杀死目标，将猎物压在身下并用弯曲的爪子将其钳住。著名的"搏斗中的恐龙"化石（请阅读第 72 ~ 80 页的恐龙战斗）中，伶盗龙用爪子刺中了原角龙的脖子。也许这就是伶盗龙进行捕猎的方式：用它超大的爪子刺穿猎物喉咙的动脉和静脉。

5. 它的前肢看起来更像是末端长有大爪子的翅膀。

翅膀状的前肢可能是靠近身体并折叠起来的，看起来很像鸟的翅膀。

6. 2007 年，人们发现了一种特殊的伶盗龙化石。

一根尺骨（肘部和手腕之间的骨头之一），上面被发现有一些小小的隆起物。

这些隆起物被称为"羽茎瘤"，当它们还活着时，会有大羽毛固定在其中。现在的许多会飞的鸟类都有这种结构，但并不意味着拥有它们的动物肯定会飞……所以不要断然推测伶盗龙会飞哟！我们可以肯定伶盗龙是有羽毛的，它的羽毛就像我们现在看到的鸟类羽毛那样。

7. 伶盗龙的颌部并不强壮，但可以像锯子一样穿过猎物的皮肤和肌肉。科莫多龙就是这样使用它们的下颌撕开猎物的。

小测试

你真的了解恐龙吗？

· 在哪个沙漠发现了伶盗龙化石？

· 伶盗龙有多少颗牙齿？

· 伶盗龙用它 6.5 厘米长的爪做什么？

· 温血是什么意思？

· 伶盗龙的体重是多少？

· 伶盗龙的手有几根指头？

（答案见本书第 87 页）

第五章

恐龙地盘

栖息地与生态系统

人们在戈壁沙漠中发现了伶盗龙化石。如今，戈壁沙漠少有植被，夏季干燥炎热。即使回到白垩纪，它们的环境也几乎是一样的，但那时的戈壁沙漠的植物更多一些，还有一些溪流和湖泊。

炎热干燥的条件能保证化石被保存完好，但这也意味着那些动物活着的时候，生活很艰难。伶盗龙的栖息地主要是沙丘，有着来自溪流和绿洲的有限淡水，一些较厚的针叶林区域也可作为栖息地。

现在的戈壁沙漠有着极大的温度差，白天还是难以置信的 40℃高温到夜晚却能降到彻骨寒冷的 −40℃。这个地方在 7000 万年前，也可能有着相同的温差，说明这里的生存环境相当艰苦。

　　白垩纪时期的戈壁沙漠是一个环境艰苦的栖息地，甚至连植物都难以生存。这里没有太多的植被，植食性动物不能长太大，所以在该地区只有小型生物生存。

　　由于植食性动物体形很小，所以大多数的肉食性动物也很小。该地区的捕食者只有很少一部分具有较大体形，比如特暴龙。其余的恐龙甚至没有一个成年人大。

　　该地区唯一的一种大恐龙是镰刀龙。

与伶盗龙同时在戈壁沙漠生存的恐龙物种并不多，在这些恐龙中，只有少数较为知名。你认识哪些？

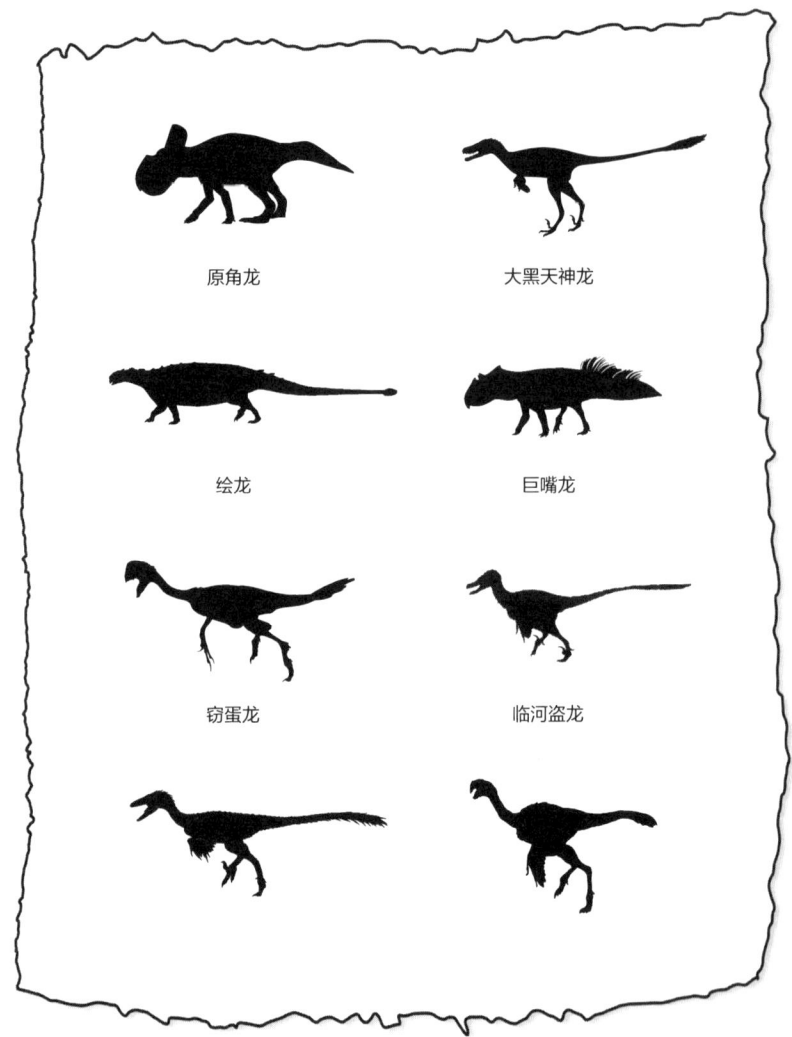

原角龙

大黑天神龙

绘龙

巨嘴龙

窃蛋龙

临河盗龙

60

　　下表列出了戈壁沙漠的两个地区都发现的伶盗龙化石，看看你是否能发现一些特别的信息以及沙漠生态系统中常见的其他恐龙。

德加多克塔组	巴音满达呼组
蒙古伶盗龙	奥氏伶盗龙
安氏原角龙	巨鼻原角龙
谷氏绘龙	魔头绘龙

　　在这两个组中，每个组都发了伶盗龙、原角龙和绘龙，一定发生了什么导致了这种结果，因为物种是不会这样变化的。

　　海洋、山脉甚至大型河流都可以将同一个群体分离开来，随着时间的推移，这些群体会逐渐演化得不一样，最后变成不同的种。但是在这个案例中，没有什么外界条件使这两组物种分离。所以，科学家们认为，这两组恐龙可能生存在不同时期，这使得它们成为不同的类群。

　　特暴龙和镰刀龙的化石也在同一地区被发现，它们生存在大约7000万年前，所以它们很可能曾与伶盗龙共存。

科学前沿：
小行星撞击地球
后的生物演化

把过去发生的事情拼凑在一起并非易事。如果我们想知道昨天发生的事情，可以上互联网查看；如果我们想要看一下 50 年前的某些东西，可能会有一些出现在电视上；而 100 年前的东西，可能就要去收音机或信件上找了。这些记录历史的方法，很好地向我们展示了细节。但是想象一下，如果我们想知道 6600 万年前发生的事情，那个时候没有互联网，没有电视，没有收音机，没有信件……我们只能一点点地去拼凑化石，这就像我们在听一个故事时，每次只能听到 20 个字。

我们知道 6600 万年前小行星撞击地球之前的生活是什么样的，并且根据一些新研究，我们甚至对它发生时的各种事情有了很多了解，但在那之后发生了什么呢？所有非禽类恐龙的灭绝用了多长时间？我们今天知道的所有物种是什么时候开始出现的？这些新物种看起来像什么呢？

近期发现的一颗新化石，帮助我们更多了解到小行星撞击北部海域（现在的墨西哥）后发生的事情。那个时期的鸟类化石非常罕见，但这颗新的小化石可以说明，在所有恐龙灭绝后，鸟类开始迅速地繁殖与演化。

请记住，生物的演化需要很长时间，所以即使这个小化石可以追溯到 6200 万年前（小行星撞击地球后 400 万年），但在演化的角度上看就是一眨眼的工夫。

我们知道哺乳动物和鸟类等生物群体在小行星撞击地球后幸存了下来，小行星的撞击摧毁了地球上大约 75% 的生命。但是因为鸟类的骨骼通常都很小并且非常脆弱，所以它们很难变成化石。墨西哥的这一化石发现说明了两个事实：首先，在 400 万年内，鸟类已经演化成了现在的样子；其次，我们熟知的不同类群也生存在那里，像猫头鹰和其他鸟类（翠鸟和啄木鸟等）在那时都已经出现了。那么这个化石看起来像什么？它是哪种鸟类？

这是一种你们许多人从未听说过的鸟类，它很奇怪，现在只在有限区域内生存，这是一只鼠鸟。人们发现了它们腿上的小骨骼，虽然是破碎的，但是科学家们能够推断出其余的骨骼甚至骨架的外观。他们意识到，这些骨骼与鼠鸟类的脚相匹配。虽然鼠鸟现今只出现在非洲，但它们的化石曾经出现在世界上的更多地方，这些化石也表明了这种鸟有着奇怪的脚。

科学家们发现了大量的骨骼碎片。左图是右侧股骨（大腿骨），右图是左侧跖骨（一些"脚踝"和"脚骨"可以将鸟类和一些恐龙联系到一起）。黑色部位是科学家们发现的骨骼。

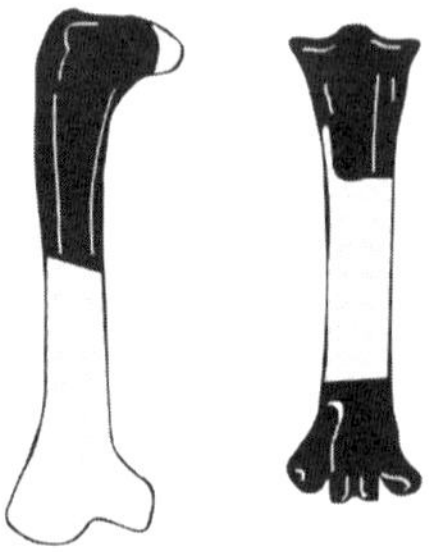

鼠鸟可以做到大多数鸟做不到的事情，它可以将一个脚趾向后旋转。这意味着它可以攀爬树枝并且很好地停留在上面。这种小鸟也许在高高的树上。我们称之为"皇冠鸟"。这种非常特殊的骨骼被称为对趾足，意思是两个脚趾朝前，两个脚趾朝后。

科学家称这只小鸟为 *Tsidiiyazhi abini*，意思是"小小的晨鸟"，它们在现代鸟类演化之初就出现了。虽然我们知道目前生存的鸟类约有一万种，但是这一化石能帮助我们了解小行星撞击地球后，鸟类如何快速繁衍，甚至在很久以前，一些我们熟知的鸟类就已经存在了。

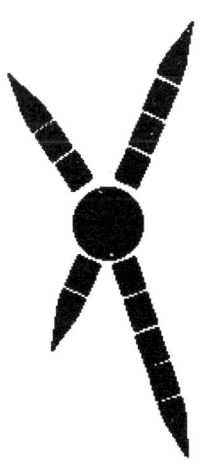

从底部看鼠鸟的脚，可以看出它是对趾足。

伶盗龙	
速度	9
平均体重（吨）	1
灵活度	8
武器（牙齿、角）	7

原角龙	
速度	2
平均体重（吨）	2
灵活度	3
武器（牙齿、角）	4

第六章

恐龙快闪

进化军备竞赛

值得我们记住的是，每个活着（或曾经活着）的物种都受到了环境的影响，每个栖息地和生态系统对于生存在那里的物种都有着巨大的影响。

大白鲨有白色的腹部和灰蓝色的身体，因此猎物不易从上方或者下方看到它们。鹰隼拥有轻盈的骨骼和出色的视野，可以在高空进行狩猎，并且可以以每小时 300 多千米的速度飞行。环境不仅会影响动物的颜色和视力，还会影响动物的行为。

在白垩纪晚期，地球的某些地区就像今天一样炎热干燥。蒙古国就是其中之一，其土地以沙漠为主，有少量的矮树林。白天的高温会迫使许多动物躲藏起来，待太阳落山时才会出现，在如此苛刻的环境中，动物们无法保证自己的进食，一些捕食者会像狮群那样进行集体捕猎，这样可以捕获更多的猎物。

战斗开始

在这场战斗中，我们看到了一群掠食者在夜间外出寻找猎物。有三只伶盗龙正在狩猎，合力在岩石间围捕猎物。它们并不是像狮子或狼一样合作。每一只伶盗龙都单独狩猎，但它们知道，在一个群体中狩猎成功的概率是会增加。当一只伶盗龙从岩石中逐出一只小蜥蜴或哺乳动物时，另一只伶盗龙就会冲出来吃掉它，这样的话，每只恐龙获得的食物都能比它们独自捕猎要多一点。

许多动物都会一起捕猎，但并非所有动物都有意互相帮助。

乌翅真鲨在夜间会聚群在礁石上游动。 它们每只都会在珊瑚下游动并追逐鱼类。 它们自己可能不去捕获那些鱼，但群体中的其他鲨鱼则可以吃掉猎物。 虽然每只鲨鱼都只想着喂饱自己，但它们在群体中以这样的方式进行捕猎，就能获得更好的饱餐机会。

现在，太阳终于落下，月光照亮沙漠，一只伶盗龙发现了一个潜在的猎物。它头上的羽毛因为兴奋沙沙作响，其他伶盗龙明白了它在做什么。伶盗龙的化石告诉我们，它眼睛内部有一个骨环，它使这些恐龙成为出色的夜间猎人，虽然我们还不太确定。一只伶盗龙走到非常高的沙丘边缘向下看，有一只原角龙正在用灌木丛中进食。

原角龙属于有角恐龙这个类群，如三角龙。但与它的巨型近亲不同，它的体形只有猪那么大。但原角龙很强壮，有一个用来防御的角和颈盾。对于一只伶盗龙来说，它有点太大了，但或许三只伶盗龙一起就有机会打倒它。伶盗龙们沿着陡峭的沙丘向着这只植食性恐龙的方向行进。那里的风很大，所以原角龙听不到伶盗龙们逼近的声音，而且它的眼睛在夜晚几乎看不见什么。

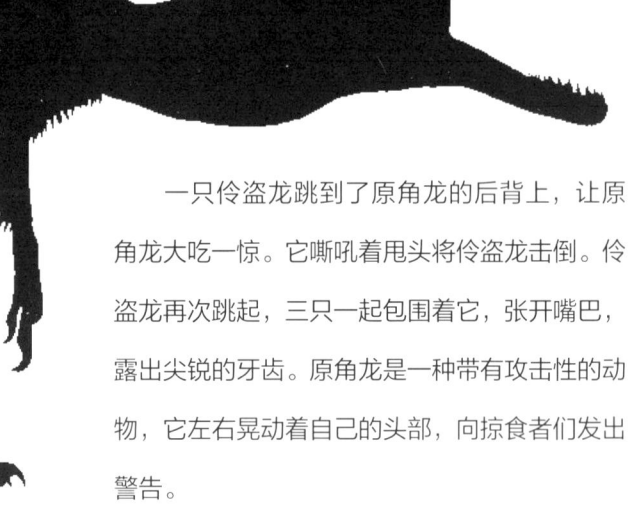

一只伶盗龙跳到了原角龙的后背上，让原角龙大吃一惊。它嘶吼着甩头将伶盗龙击倒。伶盗龙再次跳起，三只一起包围着它，张开嘴巴，露出尖锐的牙齿。原角龙是一种带有攻击性的动物，它左右晃动着自己的头部，向掠食者们发出警告。

　　一只伶盗龙靠
近了原角龙的后部，
它跳到原角龙的臀部上，
将脚上的大而弯曲爪子插
入原角龙的大腿肌肉中。那
里的皮肤很硬，但原角龙
已经在流血了。风越来
越大，沙子从沙丘吹
来，刺痛了这只伶盗龙的
眼睛。当受伤的原角龙试图摆脱这个攻击者时，另一只伶盗龙冲了过来，
试图将一只可致命的爪子刺入原角龙的喉咙。这些爪子虽然不能用来撕
裂猎物，却是致命的武器。伶盗龙长长的腿向前伸展，当它把爪子刺入
原角龙的肩膀时，也抓住了原角龙的颈盾。

原角龙痛苦地咆哮，努力想甩掉这个新攻击者。伶盗龙滑倒并试图抓住原角龙的脸，但愤怒的原角龙咬住了伶盗龙的手腕并凶狠地摇晃。当原角龙的下颌咬碎了伶盗龙的肌肉和骨头后，伶盗龙从它的肩膀上拔出了爪子。伶盗龙痛苦地发出嘶嘶声，另外两个掠食者则撤退了。由于受伤的原角龙猛烈地摇晃着伶盗龙，伶盗龙的身体扭曲得很厉害。

原角龙跪倒在地。它受了重伤，失血很多，但它仍顽强地咬着攻击者，咬碎了它更多的骨头和肌肉。另外两只伶盗龙看到它很快就能被轻易杀死，再次加入了战斗。

风在沙漠中呼呼作响，伴着沙子的轻微移动声，三只伶盗龙的呻吟声和隆隆声在沙丘中响起，一只伶盗龙跳到原角龙的尾部，准备袭击它柔软的胃，这两只掠食者都离第一只伶盗龙远远的，因为这两只伶盗龙也不想陷入类似的麻烦，伶盗龙可以一起追捕猎物，但它们并不进行真正的合作。

沙丘的顶部非常不稳定，强风和这三个掠食者猛烈的攻击让这个沙丘发生崩塌。有一块巨大的沙体开始滑动，成吨的沙子滑向了战斗中的恐龙们。

原角龙仍然咬着第一只伶盗龙。它们两个都非常虚弱，但依旧在挣扎。伶盗龙设法将尖利的爪子扎入原角龙的脖子，使得原角龙更死死地咬住它。而此时，这四只恐龙抬头，发现有一堵沙墙正涌向它们。

另外两只伶盗龙跳下了原角龙的身体跑开了，迅速逃离了死亡沙墙，留下这两只争斗中的恐龙。一波沙浪涌过，最终将它们完全掩埋。

这些沙子太多了，使得它们的胸部被压碎而无法呼吸。不到一分钟，这两只恐龙就都死了。在这场生与死的战斗中，掠食者和猎物最终都被环境杀死了。

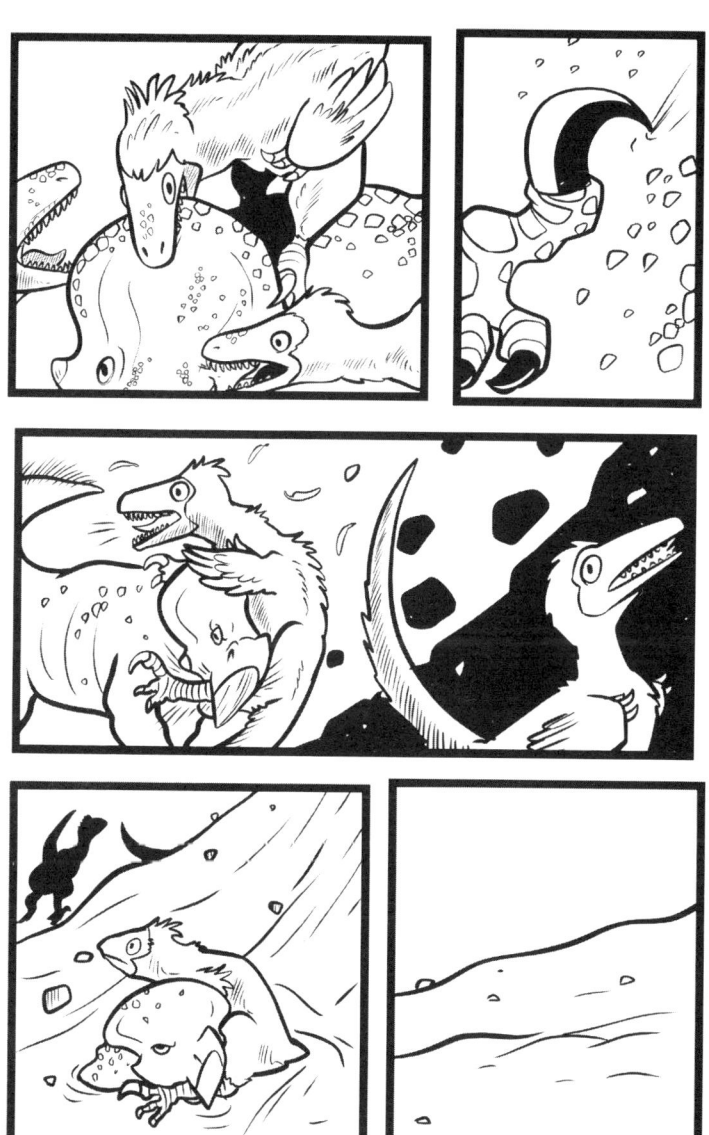

这个传奇的化石确实存在。 我们不知道那里是否还有其他伶盗龙，我们也不知道它们的战斗是否在晚上发生，以及沙子究竟是如何埋葬它们的。

这些化石是 1971 年在蒙古国发现的，现在保存在美国自然历史博物馆中。它们被人们称为"战斗的恐龙"。

实操训练：
化石发掘者

本节将提供一个关于化石标本制作的初学者指南。制作一个化石标本可以有许多不同的方法，专家们需要花费数年时间来学习这项技能，这里有一些快捷简便的技术可以用来为自己制作化石标本。

你可以在这套"给孩子的恐龙书"中的其他几册找到关于收集化石所需的设备以及寻找地点的信息。但最重要的事情是，当你去搜寻化石时，一定要有成年人陪同，他们能够在你制作化石标本时提供帮助。

以下是开始制作标本的两种简单方法：

其一，制作菊石标本。

第一步通常在你找到化石的地点上进行，所以请随身携带锤子、凿子和安全眼镜。你没有必要为了一两个化石就把大量的岩石带回家，所以要将化石周边无用的岩石清理掉。

菊石通常保存在石灰岩中，它可以在被我们称为石灰岩"结核"的岩石中找到。这些结核看起来像圆形的大岩石，或与其他岩石混在一起，或单独出现。当你看到它时，你可以马上认出它。在你用锤子击打岩石之前，仔细观察其中是否有存在化石的迹象，这有助于得到一个外观良好的结核。

当你拿到结核时，寻找它的脆弱点，例如岩石中的裂缝等。

如果你看到一个裂缝，可以用地质锤（或者自制一把小锤子）轻轻地敲打它。

不要用力敲击它。如果你这样做，可能会误伤自己并破坏了化石。如果在轻轻敲击后岩石并没有打开，请沿着裂缝放置凿子并轻敲，一旦结核开裂，其中的一半可能是真正的化石，另一半是印痕化石（或印迹化石）。通常情况下，菊石会漂亮地展露出来，但如果需要进行进一步的清洁，可以使用刷子和酒精棒清除留下的微小碎片，这可以等你回家后再完成。这些足以给你提供一个很酷的化石的收藏了，再复杂一点的，就需要一些高科技设备了。

在英国，只要不造成任何破坏或者违反法律，所有人都可以收集化石。不过在一些地区采集化石是违法的，这些地方被称为"特殊科学兴趣点"（SSSI），这些地方通常都不允许采集化石。能在这些地方采集化石是非常吸引人的，但请记住，你是一位年轻的科学家，作为科学家，我们应该确保化石能够进入博物馆，因为在那里它可以被更多的人研究和欣赏。

当外出收集化石时，不要从悬崖上获取结核和化石。这不仅是一件非常复杂的事情，而且还会对周围地区造成破坏。

其二，用酸制备微化石。

在海滩上经常可以找到天然白垩岩。这种白色易碎的沉积岩主要是由海洋浮游生物沉积而成的。

酸可以用于制作小化石标本。虽然这可能需要花费很长时间，但用来分离出这些微小的化石时，用酸是一种非常好的方法，这叫作"微化石法"。这种方法给化石带来的风险很小。许多古生物学家使用乙酸来溶解白垩岩。你可能从来没有听说过这种酸，但你吃饺子时可能非常喜欢这种蘸料哟！醋是我们平时叫的俗名，而乙酸是它的学名。

 将白垩岩放入装有稀释后的乙酸和水混合物的容器中。乙酸与水的比例为 1:10，这就是说你放的水是乙酸的 10 倍。让白垩岩在容器中浸泡 1～3 天。

 使用一个筛网为 2 毫米的筛子，倒入酸溶液，将"污泥"困在筛子中并在水中浸泡污泥持续一天时间，以阻止酸的影响。

 再次筛分，将污泥倒在托盘上。让它自然干燥一两天，或在烤箱中 80℃ 加热一小时。不要把它倒进水槽，那可能会堵塞下水道并给家人带来困扰。

如果你有幸拥有一台光学显微镜，那很棒。但如果没有，那就问问你的老师是否允许你把干燥的白色粉末带到学校。将它放在罐子或信封中保存，然后在显微镜下观察，并让老师来指导你如何操作。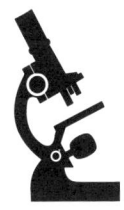

 将薄薄一层的白色粉末放在显微镜载玻片上仔细观察。应该有数百甚至数千个小化石，也会有很多不同类型的化石。例如，你的样本中应该有很多有孔虫，它们是单细胞动物，还有带小壳的介形类动物（或叫"种子虾"），它们很微小是螃蟹和虾的近亲。

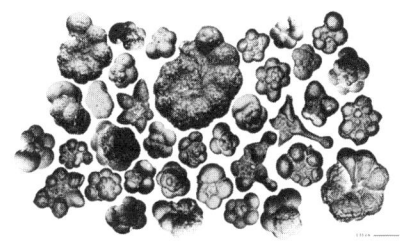

 如果你想用这样的方法，以酸来制作你的化石标本，那么醋是很适合的工具。请确保你没有将它们弄到眼睛里，并且尽量使用白醋，因为它不会使化石染色。

小测试答案

第 28 页

· **黑猩猩属于哪个动物门？**

  脊索动物门。

· **智人的学名（*Homo*）是什么意思？**

  有思想的人。

· **在动物的学名中属和种哪一个写在前面？**

  属。

· **伶盗龙是什么时候开始出现的？它们在地球上生活了多久？**

  出现在 7500 万年前，约 7100 万年前灭绝，在地球上生活了约 400
  万年。

· **说出寻找有羽毛恐龙的最佳地点。**

  中国辽宁省。

· **伶盗龙属于哪个类群？**

  驰龙类。

第 56 页

· **在哪个沙漠发现了伶盗龙化石?**

  戈壁沙漠。

· **伶盗龙有多少颗牙齿?**

  26~28 颗。

· **伶盗龙用它 6.5 厘米长的爪做什么?**

  刺伤猎物,发出致命的一击。

· **温血是什么意思?**

  通过新陈代谢维持稳定的体温。

· **伶盗龙的体重是多少?**

  13~18 千克。

· **伶盗龙的手有几根指头?**

  3 根。

你答对了多少?

专业词汇表

巩固你的记忆。

凹形：

如果形状曲线在中间向内倾斜，那么它是凹形。（见本书第 44 页。此页为该词首次出现处。余同）

对趾足：

两只脚趾向前、两只脚趾朝后的一种鸟足。（见本书第 69 页）

恒温动物：

这是我们谈论"温血动物"时恰当的专业术语。这种动物可以使自己的体温保持稳定。人类，鲸鱼和鸟类都是恒温动物。（见本书第 51 页）

绿洲：

沙漠中植物生长得郁郁葱葱的地方。通常在有溪流或泉水的地方能够找到绿洲。（见本书第 58 页）

肉食性动物：

仅通过食用其他动物而存活下来的动物。像狮子，鲨鱼和老鹰这样的动物都是肉食性动物。（见本书第 19 页）

兽脚类恐龙：

双足恐龙，通常是肉食性恐龙。暴龙、异特龙、棘龙和伶盗龙都是兽脚类恐龙。（见本书第 19 页）

适应：

身体部位或功能，使物种更适合其环境。比如蜂鸟具有非常轻的骨骼以使其更容易飞行，或者北极熊具有良好嗅觉来寻找食物。（见本书第 43 页）

凸形：

如果形状曲线在中间向外凸出，那么它是凸形。（见本书第 44 页）

新陈代谢：

你的新陈代谢是你体内不断用新物质代替旧物质的过程。你的身体获得能量才能生存。（见本书第 51 页）

爪（猛禽的）：

一种弯曲的爪子，主要属于猛禽或猛禽类恐龙。（见本书第 13 页）

植食性动物：

仅通过食用植物而存活下来的动物。像小鼠、鸽子和斑马这样的动物都是植食性动物。（见本书第 59 页）